그럼에도 불구하고, 오늘도!

그럼에도 불구하고, 오늘도!

진
박시영
김영란

인생은 항상 선택의 갈림길에 놓여있다.

내가 선택을 하던지, 상황에 의해 어쩔수 없이 선택을 하던지 말이다.

우리 모두는 삶에서 자주 마주치는 선택의 순간들을 통해 성장하고 발전해 나간다.

그리고 이 책에서는 그런 선택의 갈림길에서 우리가 마주하는 다양한 상황과 결정에 대해 많은 것들을 이야기해 준다.

우리는 가끔씩 어려운 결정을 내려야 할 때가 있다.

때로는 선택의 압박으로 인해 혼란스러울 때도 있다.

때로는 후회와 불안이 따를 수도 있다.

하지만 우리는 결국 선택을 하고, 그 선택에 따라 삶을 채워나간다.

이 책에서는 다양한 작가들이 선택한 다양한 이야기를 다루고 있다.
각 이야기는 다른 상황과 다른 선택을 다루며, 우리의 인생에 작은
울림과 생각을 안겨줄 것이다.

우리는 이 책을 통해 선택의 갈림길에서 우리가 마주하는 도전과 성
장을 나누고 싶다.
이 책을 쓴 작가들뿐만 아니라 독자들도 언제나 자신의 선택에 책임
을 짊어지며, 삶을 채워나가는 주인공들이기 때문이다.

- 공동저자 中 김영란

차 례

죄인에게 벌을

진

진 90년대생. 내성적인 성격의 저자에게 책은 가장 좋은 친구였다. 어린 시절부터 온갖 문학 작품들을 섭렵하며 작가의 꿈을 키워왔다. 제일 존경하는 사람은 도스토옙스키로, 언젠가는 그와 같은 작가가 되기를 바라며 오늘도 글을 쓴다.

서희는 순간 자신이 정확히 들은 것이 맞는지 귀를 의심했다. 공손하게 마주 잡은 그녀의 두 손이 상대방도 알아챌 만큼 떨리기 시작했다. 잔뜩 긴장한 탓인지 심장이 미친 듯 뜀박질을 하고, 뇌가 굳어 제대로 작동하질 않았다. 그녀는 머릿속이 새하얘져서 지금 이게 무슨 상황인지 확실히 파악할 수가 없었다. 여차하면 도망칠 생각에 조심스레 문을 바라보는데, 맞은편에 앉아 그녀를 주의 깊게 바라보고 있던 남자가 몸을 일으켰다. 그는 성큼성큼 걸어오더니 서희의 앞에 허리를 굽히고서 눈을 맞춰왔다. 남자가 싱긋 웃었다.

"거의 죽은 것이나 다름없는 사람입니다. 그런 사람의 호흡기를 떼는 것뿐이에요. 당신은 죄를 짓는 게 아닙니다."

서희는 혼란스러운 눈빛으로 정면의 남자를 쳐다보았다. 남자는 여전히 웃음을 잃지 않고 있었다. 서희는 무슨 말을 꺼내야 할지 알 수 없었다. 그녀의 고개가 힘없이 떨구어졌다.

202x년 12월, 서울.

온 집 안에 고소한 냄새가 퍼졌다. 온 집 안이라고 해봐야 그저 단칸 방 하나에 불과했지만.

서희는 장 본 물건들로 가득 채워진 커다란 비닐봉지를 현관문 옆에 놓아둔 채, 부엌에서 요리를 하고 있었다. 그녀는 호박과 두부 같은 재료들을 도마 위에 올려놓고 손질했다. 그리고 된장을 풀어 넣은 물이 끓자, 도마를 들어 그 위에 놓인 온갖 채소들을 안에 털어 넣었다. 오늘의 저녁 식사는 된장찌개였다. 그녀는 숟가락으로 국물을 한 번 떠먹어본 다음 만족스러운 미소를 지었다. 이제 간단하게 상만 차리고 먹으면 될 것 같았다.

항상 그랬듯이 식사는 1인분이었다. 서희는 이제 혼자 살아가는 데 제법 익숙해졌다. 그녀의 부모님은 1년 전에 교통사고로 돌아가셨다. 그 후 서희의 삶은 많은 면에서 달라졌다. 먼저 작은 집으로 이사했고, 손에도 대지 않던 요리와 그 외 집안 살림을 도맡아서 시작해야 했다. 물론 당장 먹고살기 위해 돈도 벌어야 했다. 부모님이 없는 삶은 생각보다 더 힘들었다. 서희는 힘들 때마다 늘 부모님을 그리워하며 밤마다 남몰래 눈물을 흘렸다. 그렇게 제 한 몸 챙기기도 어려웠거늘, 얼마 전 청천벽력 같은 일이 닥쳤다.

서리가 암에 걸린 것이다.

부모님이 돌아가신 다음 이 세상에 피가 섞인 존재라곤 동생밖에 남지 않았으니, 서희에게는 서리가 제 목숨만큼이나 소중했다. 그런데 서리가 암에 걸렸다. 역시 부모님이 돌아가신 게 너무 큰 충격이었을까. 이 외에는 달리 설명할 길이 없었다. 이런 생각을 하면 서희는 동생이 안 되어 견딜 수가 없었다.

그녀는 심란한 마음을 정리하고 다시 밥숟갈을 들었다. 그때 식탁 위에 놓아둔 휴대폰이 요란하게 울렸다. 고개를 돌려 화면을 확인하자, 병원에서 온 전화였다. 갑자기 다급해진 마음에 서희는 숟가락을 내려놓고 얼른 전화를 받았다.

"여보세요."

"이서리 환자 보호자 맞으시죠? 지금 병원으로 좀 와주셔야 할 것 같아요."

전화기 너머로 젊은 여자의 목소리가 빠르게 흘러나왔다. 서희는 심장이 쿵 내려앉는 것만 같았다. 그녀의 온몸이 떨려오기 시작했다.

"무슨 일 있나요?"

"환자 상태가 안 좋아요. 빨리 수술 들어가야 할 것 같은데……"

서희는 식탁 의자에서 벌떡 일어섰다. 그녀는 당장 병원으로 찾아가겠다는 뜻을 전하고 전화를 끊었다. 그러고는 밥상을 그대로 남겨둔 채 집 밖으로 나섰다.

동생이 입원한 병원은 집에서 그리 멀지 않았다. 병원에 도착한 서희는 서둘러 동생이 쓰고 있는 침대로 달려갔다. 서리는 언니가 여러 번 불러도 대답이 없었다. 잠이 든 것 같았는데, 고통을 느끼는지 한껏 인상을 쓰고 있었다. 이마에 맺힌 땀 때문에 갈색 앞머리가 여기저기 엉겨 있는 모습이 보였다. 배 위로 꼭 모아 쥔 양손은 새하얗게 질려 있었다.

옆에 서 있던 의사가 서희에게 다가오더니 이미 간호사와 통화를 하며 들었던 말을 다시 반복했다. 전에 검사했을 때보다 환자의 몸 상태가 더 안 좋아졌으니 얼른 수술을 받아야 한다는 것이었다. 서희는 의사가 물러간 뒤 잠든 동생의 곁에 자리를 잡고 앉았다. 그녀는 동생의 머리를 부드럽게 쓰다듬어 주었다.

서리의 상태가 좋지 않았다. 동생이 수술을 받게 하려면 어떻게든 돈을 마련해야 했다. 하지만 병원 측에서 말하는 수술비는 현재 서희가 가지고 있는 돈의 액수를 훨씬 웃돌았다. 서희는 두 손으로 머리를 감싸 안았다. 도대체 이 상황을 어떻게 해결해야 할까. 문득 한 사람이 머릿속에 떠올랐다. 며칠 전 병원 1층 대기석에서 이런저런 얘기를 주고받으며 두 자매가 앉아 있을 때였다. 갑자기 어디선가 시선이 느껴져 서희는 고개를 돌렸다. 한 키 큰 젊은 남자가 얼마 떨어지지 않은 거리에서 두 사람을 지켜보고 있었다. 서희는 의심스러운 눈으로 그 남자를 마주 보았다. 놀랍게도 남자는 그들이 있는 쪽으로 다가왔다. 남자가 품속에서 명함을 꺼내 서희에게 건네주었다. 뭔가 도움이 필요하면 연락하라는 말을 덧붙이고서. 그리고 남자는 홀연히 자취를 감추었다.

서희는 주머니에서 지갑을 꺼냈다. 솔직히 명함을 받은 뒤 버릴까 말까 수차례 고민했었다. 하지만 혹시 모를 때에 대비해 보관해 놓고 있자는 생각이 들었던 것이다. 그녀는 명함에 적힌 전화번호를 한동안 말없이 응시했다. 침을 한 번 꿀꺽 삼킨 서희가 전화를 걸었다. 신호음이 몇 번 들리고, 곧 상대방이 전화를 받았다. 서희가 살짝 떨리는 목소리로 용건을 털어놓기 시작했다.

"아, 안녕하세요. 얼마 전에 병원에서 저한테 명함을 주신 적이 있는데, 기억하실까요? 혹시 도움이 필요하면 연락하라고 하셔서⋯⋯"

상대방은 몇 초간 침묵했다. 서희는 그 짧은 시간도 버틸 수 없을 만큼 속이 탔다. 이 사람이 자신을 기억하지 못하는 것인지, 아니면 혹여나 마음을 바꾼 것인지 별의별 생각이 다 들었다. 마침내 상대방이 알아들었다는 듯 입을 열었다.

"아, 기억나는군요. 제가 명함을 드렸었죠⋯⋯ 도움이 필요하신 건가요?"

"네⋯⋯"

서희는 부끄러움에 말끝을 흐렸다. 생전 처음 보는 이에게 뻔뻔하게 도움을 요청하는 행위는 그녀의 성격에 맞지 않았다. 하지만 지금은 그런 걸 따질 때가 아니었다.

"그렇군요. 괜찮다면 지금 제 사무실로 오세요."

그러면서 남자는 그녀에게 자신이 있는 회사의 주소를 알려주었다. 서희는 동생을 뒤에 남겨두고 분주히 발을 놀려 병원을 벗어났다. 병원에서 약속 장소로 가려면 꽤 오랜 시간이 걸렸다. 회사가 강남에 있었기 때문이다. 서희는 상대가 구체적으로 어떤 도움을 줄 수 있을지 몰라 긴장되었다. 그녀는 버스 안에서 창밖으로 휙휙 지나가는 풍경을 바라보았다.

이런저런 생각을 하다 보니 어느새 약속 장소에 도착했다. 서희는 눈앞의 건물을 잠시 올려다보았다. 층수를 셀 수 없을 만큼 높은 건물이었다. 그저 바라보는 것만으로도 위압감을 풍겼다. 서희는 자신이 초라하게 느껴졌다.

그녀는 꼭대기 층에 도착한 다음 책상에 앉아 있는 여직원을 향해 다가갔다. 서희의 설명을 들은 여직원이 사장실의 문을 두드렸다. 안에서 허락이 떨어지고, 여직원이 손수 문을 열어주었다. 서희는 열려 있는 문 사이로 성큼성큼 걸어갔다. 그녀가 완전히 실내로 들어서자마자 등 뒤에서 문이 닫혔다. 서희는 호기심 어린 눈길로 낯선 장소를 둘러보았다. 방은 꽤 어두웠고, 한 사람이 쓰기에는 지나치다 싶을 만큼 넓었다. 맞은편에 통유리로 되어 있는 커다란 창이 눈에 들어왔다. 그 너머로 바깥의 고층 건물들이 전부 내다보였다. 창문 앞에는 방 주인의 책상이 놓여 있었다. 그러나 사람은 앉아 있지 않았다.

서희가 들어온 문 가까이에는 검은색 소파가 놓여 있었다. 그녀가 어찌해야 할지 몰라 소파만 내려다보며 우두커니 서 있는데, 어디선가 목소리가 들려왔다.

"만나서 반갑습니다, 이서희 씨. 거기 소파에 앉으시죠."

서희는 상대가 권유하는 대로 얌전히 소파에 앉았다. 드디어 어둠 속에서 상대가 모습을 드러냈다. 서희는 남자의 외모를 이제야 제대로 파악했다. 검은 양복을 빼입은 남자는 대강 훑어봐도 180은 훌쩍 넘을 듯했다. 염색하지 않은 검은색 머리는 단정하게 다듬어져 있었다. 하얗고 곱상한 얼굴이 마치 좋은 집안에서 귀하게 자란 도련님 같았다. 지금은 입을 굳게 다문 채 아무 표정도 짓고 있지 않지만, 미소를 띠고 표정을 풀면 나쁘지 않을 인상이었다. 전체적으로 뛰어난 외모의 남자였다. 그러나 주름이 져 있는 등 곳곳에 세월의 흔적이 미세하게 드러나 있었다. 아마 서른 중반이나 후반쯤 되었을까.

서희는 너무 빤히 본 듯싶어 남자를 유심히 살피던 시선을 거두고 고개를 숙였다. 남자가 맞은편에 자리를 잡고 앉더니 말을 꺼냈다.

"제가 정확히 어떤 도움을 드리면 되겠습니까?"

서희는 자꾸만 떨려오는 목소리를 애써 가다듬으며 천천히 사정을 설명했다. 동생이 아파서 하루라도 빨리 수술을 받아야 하지만, 그녀는 지금 당장 수술비를 마련할 형편이 안 된다고. 그러자 남자는 고개를 끄덕였다.

"그렇군요. 좋습니다, 도와드리죠."

서희는 너무 놀라 아무 말도 못 하고 남자를 멍하니 쳐다보았다.

"대신 한 가지 조건이 있습니다. 이 조건을 받아들인다면 제가 동생 분의 수술비를 대죠. 어떻습니까?"

남자는 그녀의 반응을 기다리는 것인지 별안간 말을 멈췄다. 서희는 슬슬 불안한 예감이 들었다. 상대편에서 먼저 입을 열 기미가 안 보이자, 그녀는 어쩔 수 없이 입술을 떼었다. 무슨 조건이냐는 물음에 남자가 대답했다.

"여기에서 15분 정도 걸으면 나오는 큰 병원이 하나 있습니다. 그 병원의 특실에 입원해 있는 환자의 호흡기를 떼어주셨으면 합니다."

"네?"

서희는 순간 제 귀를 의심했다. 설마 호흡기를 떼어내면 죽는 환자를 말하는 것인가? 그렇다면 이 사람은 지금 자신에게 살인 청부를 하는 것이 아닌가!

그녀는 이 모든 게 사기라는 생각이 들었다. 저 남자는 동생을 도와준다고 하지만, 대신 그 대가로 어마어마한 것을 요구하고 있었다. 그녀는 됐다고 거절한 뒤 얼른 이 자리에서 벗어나고 싶었다. 하지만 혹시 상대가 쉽게 보내주지 않을까 걱정이 되어 몸이 잘 움직이지 않았다.

남자가 부연 설명을 덧붙이기 시작했다.

"환자는 며칠 전 교통사고를 당해서 현재 의식불명 상태예요. 지금 호흡기로 연명하고 있는 처지인데, 이 호흡기를 떼어주셨으면 한다는 뜻입니다. 만약 이번 일을 성공적으로 끝마친다면 제가 동생분의 수술비를 대겠습니다."

서희의 손이 벌벌 떨렸다. 도대체 저 남자가 자신한테 무슨 일을 맡기고 있는 것인가.

"지금 저한테 사람을 죽이라고 하시는 건가요?"

남자가 보폭이 큰 걸음으로 서희를 향해 저벅저벅 걸어왔다. 그가 서희의 앞에 무릎을 꿇고서 눈높이를 맞춰왔다.

"이미 죽은 사람이나 마찬가지입니다. 그런 사람의 호흡기를 뗀다고 해서 죄를 짓는 것이라 말할 수는 없죠."

남자가 빙그레 웃음 지었다.

미친놈인가. 서희는 도저히 남자의 얼굴을 똑바로 마주 볼 자신이 없었다. 그녀가 고개를 숙인 채 아무런 말도 없자, 남자는 다시 허리를 폈다. 그는 저만치 멀리 걸어가더니 커다란 유리창 너머로 높은 건물들을 바라보며 혼자 이야기를 이어 나갔다.

"그때 서희 씨가 동생과 얘기하는 것을 보고 저희 어머니가 떠올랐어요. 어머니도 꼭 그렇게 다정하게 저를 대해주셨었죠. 아마 그래서 도와주고 싶은 마음이 들었는지 몰라요. 게다가 서희 씨를 쓸 수 있겠다는 생각도 들었고요. 가족의 목숨이 달렸다면 무슨 일이든 할 테니까."

남자가 다시 몸을 돌려 서희를 똑바로 응시했다.

"『죄와 벌』을 읽어본 적이 있습니까? 거기에서 라스콜니코프가 그러지 않습니까. 자신이 죽인 노파는 인간이 아니라 사회에 해악을 끼치는 머릿니에 불과하다고. 제 새아버지도 마찬가지입니다. 아니, 이 자는 머릿니보다도 못해요."

남자는 또 한 번 서희에게로 걸어왔다. 서희는 남자의 무서운 표정과 위압적인 몸짓에 움츠러들었다. 그녀는 소파 등받이 쪽으로 몸을 바싹 붙였다.

"그 사람은 교묘한 방식으로 우리 어머니를 죽였죠…… 얼마나 티 안 나게 일 처리를 했으면, 감옥에 들어가지도 않았어요. 증거가 없다고 하더군요. 하지만 난 그자가 한 짓이라는 걸 알았어요. 그 망할 놈은 겉으론 웃었지만, 항상 우리를 싫어했거든요……"

남자는 표정을 풀고 싱긋 웃었다.

"우리는 서로 완벽한 상대입니다. 나는 새아버지를 처리하고, 서희 씨는 동생을 살리는 거예요. 동생의 목숨이 달려 있으니, 허튼짓은 안 할 테죠."

서희는 남자의 눈을 피해 고개를 내렸다.

직접 피를 묻히기 싫으니까 나를 이용하는 거다. 이런 생각이 그녀의 뇌리를 스치고 지나갔다.

"만약 하겠다고 한다면 최대한 서희 씨를 돕겠습니다. CCTV라든가, 목격자라든가, 이런 귀찮은 것들은 내가 다 손을 쓰겠다는 말입니다. 하지만 혹시라도 일이 잘못 풀려서 실상이 밝혀진다면…… 돈으로 해결될 시엔 내가 나서겠지만, 그렇지 않을 때는 오롯이 서희 씨가 책임지게 될 겁니다."

서희는 잔뜩 뒤엉킨 여러 생각들 사이에서 헤매고 있었다. 그녀가 심각하게 고민하는 모습을 본 남자가 마지막 쐐기를 박았다. 그는 서리가 입원한 병원의 암 수술 권위자와 개인적으로 친분이 있는 사이라고 했다. 그러니 서리의 수술이 잘 될 수 있도록 힘을 써줄 수 있다는 것이었다. 그 말을 듣자, 서희는 더욱 흔들리기 시작했다. 갑자기 눈앞에 환하게 웃는 서리의 얼굴이 아른거리는 듯했다. 부모님이 모두 돌아가신 뒤 하나밖에 남지 않은 혈육. 게다가 서리는 어렸을 때부터 큰 불만 없이 언니를 잘 따르던 아이였다. 나이 차가 있는 것만으로도 귀여워할 수밖에 없는데, 잘 따르기까지 하는 동생이라니. 서희에게는 그런 서리가 눈에 넣어도 아프지 않을 만큼 예쁠 수밖에 없었다.

"하겠습니다."

서희가 굳건한 결의가 다져진 눈빛으로 남자를 올려다보며 일어섰다. 서리를 위해서라면 무슨 일이든 할 수 있었다. 남자는 만족스러운지 미소를 띠었다. 물론 그녀는 최악의 상황이 두려웠다. 하지만 서리의 수술비를 당장 마련할 수단이 없었다……

강남 ○○병원.

그날은 유독 눈이 펑펑 쏟아졌다. 서희는 언제나 눈이 내리는 것을 좋아했다. 하지만 병원으로 향하는 그 순간만큼은 눈이 몰고 오는 매서운 한기가 달갑지 않았다. 유달리 춥게 느껴지는 날이었다.

서희는 목적지에 도달하는 동안 아무런 방해도 받지 않았다. 남자가 손을 쓴 것일까. 그녀는 간단하게 환자가 머무는 병실에 도착했다. 환자가 쓰고 있는 방은 널찍한 1인실이었다. 소리가 나지 않도록 조심히 문을 열고 들어가자, 차가운 공기가 훅 와닿았다. 서희는 천천히 목표물을 향해 걸어갔다. 침대 위에 한 노인이 호흡기를 단 채 눈을 감고 누워 있었다. 그녀는 호흡기로 손을 뻗으려다가 무심코 노인의 얼굴을 내려다보았다. 곱게 늙은 남자였다. 눈을 감고 있어도 단정한 인상이라는 사실을 알 수 있었다.

서희는 막상 노인의 얼굴을 마주하자, 마음이 약해지는 것을 느꼈다. 현재는 돌아가신 할머니, 할아버지와 가깝게 지냈던 그녀는 항상 노인들에게 약했다. 그러나 애써 마음을 다잡았다. 교통사고를 당한 뒤 의식불명, 남자는 이미 죽은 바나 다름없는 사람이라고 말했다. 살아날 가망이 거의 없다는 뜻이다. 그러니 그녀가 호흡기를 떼지 않는다고 해도 어차피 노인이 회복할 가능성은 희박했다. 정말 남자의 말대로 이런 상태인 사람의 호흡기 하나 뗀다고 그걸 죄라 일컬을 수 있을까.

서희는 노인을 피하지 않고 뚫어져라 주시했다. 그녀는 임무를 완수하기 위해 이 사람이 자신의 의뢰인에게 무슨 짓을 했는지 일부러 다시 한번 떠올렸다. 이 자는 이렇게 평범한 얼굴을 하고 있지만 무려 살인자였다. 착하고 아무 잘못도 없는 아내를 비열한 방식으로 죽인 살인자. 게다가 남자는 새아버지가 별도 받지 않았다고 했다. 이런 생각에 이르자 처음으로 마음속에서 뜨거운 열기가 끓어올랐다. 그래, 정말 이 자는 머릿니만도 못하다.

나쁜 자식, 넌 죽어도 싸.

사실 뉴스에서 범죄 사건이 보도될 때면 그녀도 항상 궁금했다. 괴로움에 어쩔 줄 몰라 하며 눈물짓는 유가족들, 그러나 반성은커녕 시종일관 태평하거나 뻔뻔스러운 태도를 유지하는 범죄자…… 왜 나쁜 놈들이 으레 받아야 할 벌을 받으면 안 되는 걸까? 어떤 놈이 내 부모를 죽였다면, 나도 그놈을 똑같이 죽여줘야 공평한 게 아닌가? 물론 범죄자는 법에 따라 처벌을 받지만, 피해자들이 겪었던 고통을 생각하면 그자에게는 너무 관대한 처사다. 왜 나쁜 놈들을 그냥 죽여버리면 안 되는 걸까? 왜 내가 겪었던 것과 똑같은 고통을 되돌려주면 안 되는 걸까? 살 가치도 없는 것들은 좀 죽어도 되지 않을까……

순간 부모님을 돌아가시게 만든 그 사람이 떠올랐다. 무려 두 사람의 목숨을 앗아가 놓고도 죄책감을 느끼기보다는 어떻게 하면 처벌을 피해 갈지 끝까지 궁리하던 그 인간. 그자의 비겁한 얼굴이 생각나자, 서희의 감정이 광포하게 날뛰기 시작했다.

부.모.님.을.죽.인.그.새.끼.의.머.리.통.을.부.쉬.버.려.도.되.는.게. 아.니.냐.는.말.이.다.

서희의 눈빛이 돌변했다. 벌을 받지 않은 죄인에게 이제야 응당 받아야 할 벌을 주는 것뿐이다. 그리고 이 자를 처리해야 서리가 수술을 받을 수 있었다.

서희는 과감하게 호흡기로 손을 뻗었다.

서희는 긴장한 얼굴로 동생이 밥을 우물거리는 양을 주시했다. 서리는 음식물을 꿀꺽 삼키고는 맛을 느끼는 데 집중했다. 그동안 서희의 심장은 미친 듯이 두근거렸다. 이윽고 서리가 행복한 미소를 머금으며 맛있다고 말해주자, 서희는 드디어 안심할 수 있었다. 서리는 정말 음식이 입에 맞는지 아무 말도 없이 열심히 먹기만 했다. 서희는 흐뭇한 표정으로 동생을 바라보았다.

서리가 식사를 끝내자, 그녀는 둘이 먹은 밥상을 치우기 시작했다. 식탁에 하나만 올려져 있던 공기 그릇이 이제는 둘로 늘어났다. 그저 끼니를 해결한다는 개념이었던 식사 시간. 치우기 쉽도록 간단하게 차렸던 밥상이 서리가 오면서 풍성해졌다. 혼자 먹을 때 대충 끓였던 된장찌개는 정성을 담자 한층 더 맛깔스러워졌다. 서리와 함께하는 식사 시간은 그 어느 때보다도 더욱 행복했다.

서리의 수술은 다행히 잘 마무리되었다. 동생은 점차 병을 이겨냈고, 얼마 전 병원에서 퇴원했다. 서희는 거실 소파에 편안히 앉아 있는 동생을 바라보며 부드러운 웃음을 짓다가 이내 상념 속으로 빠져들었다. 환자가 있는 병실에서 나온 뒤 그녀는 자신의 의뢰인을 찾아갔었다. 유리창 너머로 바깥 야경을 감상하던 남자는 인기척에 몸을 돌렸다. 서희를 유심히 살피던 그가 무감정한 얼굴로 말을 꺼냈다. 그래, 일은 잘 마쳤냐고.

서희는 남자의 시선을 피하지 않은 채 또박또박 답했다. 미안하다고, 일을 끝마치지 못했다고. 남자는 가만히 서희를 바라보며 얼마간 침묵을 지켰다. 시간이 어느 정도 흐른 후, 그가 드디어 입술을 열었다.

"왜죠?"

서희는 두 눈을 살며시 내리깔았다. 그녀의 어조가 한결 조용하게 가라앉았다.

"정확히는 모르겠어요…… 하지만 일을 계획대로 완수하고 나면, 무언가가 계속 저를 괴롭힐 것 같은 느낌이 들었어요. 아무리 떨쳐내려고 해도 그 찜찜한 기분에서 절대 벗어날 수 없는, 그런 거 있잖아요…… 즐겁고 행복한 시간을 보내던 중에 만약 이 기억이 불쑥 튀어나온다면? 평생 제 뒤를 잡고 끊임없이 생각날 것 같은 일이라면 안 하는 게 맞는 거잖아요. 확신이 있다면 마음이 편안할 테니까요……"

서희는 마지막으로 남자에게 한 차례 시선을 던진 후, 그대로 등을 돌려 사무실을 빠져나가려고 했다. 그러나 뒤에서 들려오는 상대의 목소리가 그녀의 발을 붙잡았다. 동생은 어떡할 거냐고. 그 말에 서희는 제자리에 우뚝 섰다. 그러나 다시 걸음을 재촉했다. 이제는 무리해서 돈을 버는 방법밖엔 없었다. 서희는 무거운 마음을 안고 완전히 회사를 빠져나왔다.

다시 현실로 되돌아온 서희는 휴대폰을 집어 들었다. 화면에 찍힌

금액은 지금까지 여전히 의문투성이였다.

준혁은 아무것도 모른 채 그에게 온전히 스스로를 내맡기고 있는 노인을 내려다보았다. 노인은 언뜻 보면 평온한 표정으로 눈을 감은 모양새가 꼭 깊은 잠에 빠져든 것 같았다. 준혁은 냉혹한 시선으로 침대에 누운 노인을 쏘아보았다.

알겠어? 이제 목숨을 쥐고 있는 건 내 쪽이야.

그는 문득 고개를 들어 창밖을 내다보았다. 함박눈이 내리고 있었다. 갑자기 그 여자의 얼굴이 눈앞을 스치고 지나갔다. 지금쯤 그 여자는 동생이 수술을 받을 수 있게 되었다는 사실에 기뻐하고 있을 것이었다. 그녀에게 돈을 보내준 것은 아마 어머니를 떠올리게 해줬기 때문인지도 모른다.

준혁은 노인의 곁에서 사색에 잠긴 모습으로 앉아 있다가 몸을 움직였다. 그는 마지막으로 창문 밖에 눈이 내리는 풍경을 담고는, 순식간에 노인이 달고 있는 호흡기를 떼어냈다. 환자의 생명의 불꽃이 서서히 꺼져가는 것을 그도 느낄 수 있었다. 준혁은 한동안 아버지를 지켜보다가 품속에서 무언가를 꺼냈다. 한 손에 쏙 들어올 정도로 작은 검은색 유리병이었다.

그는 고개를 젖혀 단번에 병 속에 있는 내용물을 들이켰다.

나는 꿈을 꾸지 않는다.

박시영

박시영   현재를 살아가고 있는 30을 앞둔 20대 직장인입니다. 주위를 둘러보면 흔하게 볼 수 있는 그런 직장인입니다. 내가 지금 잘하고 있는지, 이렇게 사는 게 맞는지 고민하며 하루하루를 열심히는 아니지만, 그럭저럭 살아가고 있습니다.

instagram: @qazx20056

꿈의 사전적 정의는 세 가지가 있다.

1. 명사 잠자는 동안에 깨어 있을 때와 마찬가지로 여러 가지 사물을 보고 듣는 정신 현상.
2. 명사 실현하고 싶은 희망이나 이상.
3. 명사 실현될 가능성이 아주 작거나 전혀 없는 헛된 기대나 생각.

모든 사람은 꿈에 대해 잘 알고 매일 꿈을 꾸고 살아가고 있을 것이다.

내 아빠의 꿈은 아이들을 가르치는 선생님이었지만 직업군인이 되셨고, 현재는 퇴직하시곤 하고 싶으셨던 사주와 철학, 하모니카 등을 배우고 계신다.

내 엄마의 꿈은 듣지는 못했지만, 어머니가 바라던 '나'의 꿈은 바이올리니스트가 되는 것이었다.

나의 꿈은, 내 어릴 적 기억을 되짚어 보면, 내 꿈은 초등학교 때에는 과학자나, 패션이나 헤어 디자이너, 공예가, 그리고 누구나 한 번쯤 적어보던 대통령도 있었다. 그리고 현재의 나는 영상 편집자이다.

하지만 서른을 바라보고 있는 요즈음, 누군가가 나에게 "네 꿈은 뭐야?"라고 묻는다면 나는 답하지 못할 것 같다. 나는 현재 꿈을 꾸지도, 꾸고 싶은 생각도 없다. 누군가가 나에게 그렇게 묻는다면, 나는 아마 되묻지 않을까 싶다. 꼭 꿈을 꾸어야만 하는 것이냐고.

대부분의 사람 모두가 어린 시절, 한 학기 또는 일 년에 한 번씩은 선생님들이 꼭 물어보았던 것 같다. "커서 뭐가 되고 싶어?" "꿈이 뭐야?"라는 말들을. 내가 생각나는 건 고작 세 개지만, 생각나는 것이 세 개인 것이지, 매일, 매주, 매월 시시각각 내 꿈은 바뀌었던 것 같다. 하지만 서른을 바라보고 있는 요즈음, 누군가가 나에게 "네 꿈은 뭐야?"라고 묻는다면 나는 답하지 못할 것 같다. 나는 현재 꿈을 꾸지도, 꾸고 싶은 생각도 없다. 누군가가 나에게 그렇게 묻는다면, 나는 아마 되묻지 않을까 싶다. 꼭 꿈을 꾸어야만 하는 것이냐고.

솔직히 말하자면, 누구나 그렇듯 내 어릴 적 기억은 그렇게 재미있고 행복한 일로만 가득하지 않다. 몇 살 때부터인지 기억나지 않지만, 어머니는 나에게 피아노를 직접 가르치셨고, 바이올린은 사촌 언니에게 배우게 했다. 물론 외에도 다른 부모님들과 다를 바 없이 공부와 관련된 수학, 국어, 영어도 함께. 여기서 더 있다고 한다면 발레 정도인 것 같다. 서른을 바라보고 있는 지금, 돌이켜 생각해 보면 엄마는 어떻게 해서든 외가와의 연을 끊어지지 않게 하려고 바이올린을 가르쳤던 게 아닌가 하는 생각도 든다. 하지만 이는 엄마가 돌아가면서 자연스럽게 끊어졌지만 말이다. 어릴 땐 내가 바이올린 하는 것을 좋아했고, 늘 나에게 바이올리니스트가 돼야만 한다고 말씀하셔서 알겠다고 대답했지만, 속으로는 '바이올린은 싫은데…….' 라고, 생각했었다. 하지만 엄마가 웃는 게 좋았고, 엄마가 말을 늘 잘 들어야 한다고 해서 엄마가 돌아가시기 전인 초등학교에서 중학교 1학년 때까지는 누가 꿈이 무엇이냐고 물으면 바이올리니스트라고 대답했었다. 이때 아빠는 내 꿈이 무엇인가 보다는, 아픈 엄마와 나에 대한 추억을 조금이나마 쌓으려고 주말만 되면 같이 어딘가 짧게나마 바람을 쐬거나, 휴양림 등 어디든 데려가려고 하셨었지 않았나 싶다.

엄마가 돌아가신 이후엔 중학교 때까진 어떻게 공부해서 전교 100등 안에 드는 성적이었으나, 고등학교 올라가면서 약간 비뚤어져 컴퓨터 게임에 빠져 공부를 손 놓기도 했었다. 고2 때쯤 성적을 보고 '대학에 갈 수나 있을까?' 하는 생각과 대학의 꿈도 접었다. 사실 이땐 내가 그냥 막연히 '미술이 하고 싶다!' 하는 생각은 있었지만, 당시의 내 성적을 보면 '이 성적으로 무슨 대학에 가…….' 하며 말았었다. 하지만 고등학교 3학년 말쯤 안 되겠다 싶은지, 어떻게 하면 대학에 가겠느냐고 물어보셨고, 미술학원에 가서 미대에 가고 싶다고 했더니 2~3일

후엔 바로 학원을 등록해 주실 정도로 결단력과 실행력은 강하셨다.

그렇게 뒤늦게 고3이 되어서야 아빠가 입시 미술 학원을 보내주면서 성적에 맞추어 대학은 갔지만, 내가 원하던 길은 아니었던 걸 알고 2학년 1학기를 끝내고 자퇴를 하려 했었다. 하지만 아빠가 대학은 나와야 한다고 해서 휴학을 하고 단기지만 어학연수도 8개월 정도 보내줘서 다녀왔다. 되돌아보면 아빠는 나에 대한 지원은 아끼지 않으셨던 것 같다. 대학에 가기 싫다고 공부도 손 놓고 새벽 늦게까지 게임을 하더라도, 대학은 보내야겠다는 생각에 그 비싼 미술학원과 용돈을 주시고, 대학교 입학 후에도 영어는 어느 정도 돼야 한다고 단기지만 어학연수도 보내주셨다. 어학연수도 다녀온 것까지 하면 나에 대한 지원은 아낌없이 해주셨다고 해도 무방하다.

연수를 다녀와서 2학년 2학기에 복학하고 나서도 자퇴에 대한 생각이 있어서 수업을 아예 나가지도 않았던 적도 있었다. 어정쩡하게 복학해서 동기도 없고, 죄 처음 보는 후배들과 수업하고, 조별 과제를 해야 했기 때문에 더욱 안 나간 것도 있었다. 하지만 아빠가 계속 "그래도 대학은 나와야 한다."라는 확고한 말과, 3학년에 올라가면서 4학년 중 반이나 낸 등록금이 아까워 졸업까진 했다. 사실 졸업도 못할 줄 알았고, 지금 와서 다시 생각해 봐도 졸업한 것이 신기하다. 졸업 성적은 뛰어나지도 않지만, 학사 경고를 한 학기 받고도 3학점 후반대로 졸업했다. 그렇게 대학을 졸업했으나, 지방대에 뛰어난 학점을 들고 졸업한 것도 아니고, 자격증 하나 없고 어떠한 스펙 한 줄 적을 것 없이 졸업한 나는 그냥 닥치는 대로 구인 공고 사이트에 이력서 지원을 넣었다.

　사실 본가가 있는 부산보다는 전공 특성상 서울에 직장이 많았고, 집을 벗어나 살고 싶은 마음도 컸기 때문에 서울에 있는 회사에 지원을 많이 넣었다. 여기저기 넣었지만, 직장은 구하지 못했고, 마트 판촉 알바를 하던 중 설을 지나서야 서울에 있는 한 종합 편집 회사에 전공을 살려 취업했었다. 사실 학교에 다니면서도 이렇게 전공을 살리더라도 어딜 가야 할지 몰랐고, 취업을 한 후에도 어떤 일을 정확히 하는지 잘 몰라 한 달간은 꿔다놓은 보릿자루처럼 옆에서 선임들의 일을 지켜만 보았다. 학교에서 배웠던 프로그램은 쓰지 않을뿐더러 익숙지 않은 툴과 과제와는 다른 퀄리티를 요구 했어서, 보면서도 '내가 과연 잘할 수 있을까?' 하는 의문이 들었었다.

　취업한 직장에서의 일은 일반 영상 편집과는 다르게 TV 방송 영상 종합편집실이었다. 흔히들 말하는 TV 프로그램을 제일 마지막에 거치는 장소라고 생각하면 되지 않을까 싶다. 작업은 가편 영상을 가지고 색 보정, 자막 삽입, OAP라고 말하는 CG 같은 작업들을 하고 녹음실에 보내면, 녹음실에서 영상을 보고 소리를 녹음해 오디오로 보내주시면 내가 영상과 오디오를 합쳐서 납품할 수 있게 만드는 작업을 하는 것이다. 막상 해보면 일은 그렇게 어렵진 않지만, 대부분 1:1로 PD님과 작업을 해야 해서 사람이 별로면 사람에 대한 스트레스가 심하다. 또한 내 작업이 일찍 끝나더라도 녹음실에서 오디오가 빨리 넘어오지 않으면, 나는 한없이 기다려야 하고, 오디오를 얹어서 납품할 수 있게 영상을 뽑고 변환하는데도 시간이 꽤 걸려서 기다림의 연속인 일이라고도 할 수 있다. 물론 일을 하면서 영상 마지막인 스크롤에 내 이름이 올라가는 뿌듯함과 밖에서 내가 종합 편집을 한 영상을 TV나 곳곳에서 보면 왜인지 모르게 기분이 좋았다.

하지만 뿌듯함만으로 회사에 다닐 수 있는 업무 강도는 아니었다. 다른 종편 편집 회사는 어떤지는 모르겠지만, 내가 다녔던 회사는 주 7일 출근은 대다수에 피디님 호출이 있으면 시간 상관없이 집이 가깝고 막내라는 이유만으로 새벽 3시가 넘더라도 회사로 출근해야 했다. 거기다 수요일에서 목요일 넘어가는 날은 밤샘 작업은 매주 있었다. 물론 이도 저녁 10시 방송이 나감과 동시에 퇴근이었고, 다음날인 금요일은 정시 출근이었다. 10시 출근이지만 퇴근 시간은 정해지지 않고, 밤샘 작업도 많았던 첫 직장은 정말 내 몸을 갈아서 일하는 곳이었다. 다니는 동안에 아빠의 주거비 지원이 있어서 어떻게든 버텨보자는 생각으로 버티긴 했지만, 야근 수당도 없이 고작 월 160 조금 넘는 돈을 받아 가면서 '이렇게까지 내가 일을 해야만 하나'라고 어느 순간 계속 생각을 했었다.

같이 일하시는 분들은 "원래 이쪽 일이 다 그렇지 뭐, 그래도 식비는 안 들이잖아?" 하며 그냥 '다 그런가 보다.' 하며 꾸역꾸역 다녔었다. 힘들어도 이쪽 일은 다 그렇다고 하니 그런가 보다 하면서 말이다. 주위에 비슷한 일을 하는 동기나 친구들도 상황이 비슷하거나 똑같았고, 그나마 아빠의 주거비 지원 덕에 그나마 다른 친구들보다는 숨통이 조금 트였다. 이 회사에 다니면서는 매번 '그냥 퇴근하고 싶다'라는 생각만 머릿속에 맴돌았다. 내가 '살아간다'기 보단 그냥 연료도 부족한 기계가 된 느낌이었다. 거기다 얼마 없는 친구와 주위의 대인 관계도 무너질 것 같았다. 친구와 약속을 잡아도 갑자기 일이 들어와 취소하거나, 만나고 있더라도 전화가 오면 작업을 하러 출근해야 했기 때문이었다. 이러한 일이 반복되자 주위 사람들과 약속 잡는 것조차 꺼려졌고, 그렇게 많지도 않은 내 인간관계가 마저 없어질 거 같아서 어느 순간 그 어떤 약속도 잡지 않게 되었다. 또한 본가에 가려고 기차표를 예매하더라도 취소한 적이 다수 있었고 그럴 때마다 아버지는 서운함을 표현하시고 그런 회사를 계속 다녀야 하겠냐고도 물어보셨었다. 나 자신도 다니기 싫은 건 알고 있었다. 고강도의 업무와 적은 월급, 무너진 생체 리듬까지, 더 다닐 이유를 눈 씻고 찾아봐도 정말 없는 그런 회사였다.

하지만 부산을 떠나 서울에 올라와 일을 하면서 주거 지원을 해 주신 아빠한테 힘들다고, 다시 내려가서 다른 공부를 더 하고 싶다고 말하기도 죄송했다. 공부라고 해도 어떤 공부를 할지 몰랐었지만, 하나의 도피처라고 생각하지 않았나 싶다. 또한 청년 내일채움공제도 가입한 상태에, 다른 데로 가더라도 이력서 한 줄은 늘여야겠다는 생각에 딱 2년만 버티자고 스스로 다독이고 버티려고 했던 것 같다. 그렇게 눈 딱 감고 버티고 버티다 2년 채 되지 못했을 때, 진짜 이러다가는 내가 먼저 죽겠다 싶어서 퇴사하고 본가인 부산에 내려가 공무원 준비를 한다는 핑계로 1년가량은 쉬었던 것 같다. 공부를 사실 그렇게 열심히 하진 않았지만, 사실 국가직의 어떤 직렬을 할지 정하지도 못해서 공통과목만 공부하는 와중에 내가 뭘 하고 싶은지, 내 꿈은 무엇이었는지, 무엇인지 다시 한번 생각해 보게 되었다.

내가 생각하는 어릴 때의 나는, 엄마는 바이올린을 시켰지만, 나는 바이올린보다는 노래 부르는 것을 더 좋아했고, 노래보다는 손으로 무언가를 만들거나 그리는 것을 좋아하고 즐거워했다. 그림 그리는 것은 좋아했지만, '매우 잘' 그리지 못한다는 것은 입시 미술을 하면서 깨달았다. 만드는 것은 잘 한다고 자부는 했지만, 막상 '어떤 것'을 만드는 것을 직업으로 삼을 수 있을까에 대한 의문도 있었고, 먹고 살 수 있을지에 대한 의문과 도전할 용기도 나지 않았다. 막상 꿈을 찾아서 실현하고자 하니 20대 중반을 넘어가고 있고, 내가 한들 잘할 자신도 생기지 않았다. 거기다 대부분 사람이 생각하듯 나 자신도 '요즘 꿈을 꾸면서 이루는 사람이 어딨어?', '그냥 살아야지 뭐, 별수 있나?'라는 생각도 했다. 아빠도 종종 말했던 아빠의 꿈은 선생님이었는데, 어쩌다 보니 군인이 되었듯이 사람의 인생이 자기 하고 싶은 거 다 하면서 살 수 있는 것도 아니고, 하고 싶은 거만 하고 살 수 없다고 한 말도 생각이 났다. 사실 아빠뿐 아니라 가족들, 주위의 친구들도 하고 싶은 걸 하면서 사는 사람도 없었고, 다들 하는 일에 불평은 많아도 그만두고 다른 길을 찾는 사람도 없었다. 그렇게 1년가량을 보낸 후 공무원 시험을 쳤지만, 공부를 그렇게 열심히 하지 않았음을 알았고 예상했듯이 떨어졌다. 그리고 그냥 해온 일을 다시 해야겠다 싶어서 다시 취업 준비를 했다.

물론 비슷한 영상 계열이지만 조금 새로운 것도 도전하고 싶어서 여기저기 지원하다가 운동 강의 영상을 제공하는 회사에 들어가게 되었다. 새로운 직장에서는 카메라로 내가 직접 영상 촬영도 해보고, 광고 영상이나 인터뷰 영상, 강의 영상을 가편부터 끝까지 작업을 하는 일을 시작했다. 처음 회사와는 달리 또 다른 점이 많아 흥미 있고, 배울 게 있어서 즐거웠고, 좋은 사람들도 많이 만나서 다녔지만, 얼마 되지 않아서 지루함을 느끼게 되었다. 흔히들 말하는 정시출근, 칼퇴근은 했지만, 업무가 비슷하다 보니 어느 정도 적응하고 나서는 똑같은 일의 반복이어서 그에 대해 지루함을 느꼈다. 다니면서도 '역시 영상은 아닌가…….'하는 생각도 어김없이 찾아왔다. 하지만 새로운 시작을 하기엔 여전히 두려움은 여전했고, 조금이나마 돈은 모았지만 부족한 느낌도 없잖아 있었다. 그렇게 다니던 찰나, 첫 회사에서 같이 다니던 직장 선배가 자기가 있는 곳으로 오라고 해서 첫 번째 회사와 같은 종합편집 회사에 다시 들어가게 되었다. 첫 번째 회사를 퇴사 하면서 두 번 다시 방송은 하지 않을 거라 다짐했었는데, 막상 월급이 괜찮아서 가야 하나 고민을 2개월가량 했었다. 고민 끝에 조금이나마 더 많은 월급을 받고자 이직하기로 했다.

이직을 결정하고도 '이게 맞나?', '내가 여기 일은 안 한 지 2년이 넘어가는데 잘할 수 있을까?', '첫 번째 회사와 같으면 어떡하지?', '여기 말고 차라리 다른 스펙을 쌓을 수 있는 곳을 가야 하나?', '다시 공무원 준비를 마음잡고 해봐야 하나?'하는 등의 많은 고민도 했었다. 하지만 여전히 완전히 다른 새로운 길을 가기는 무섭고, 70이 넘으신 아빠에게 기대거나 무게감을 주기 싫어 일단 들어가서 생각해 보자는 마음으로 그렇게 다시 종합편집일을 하게 되었다. 처음 갔던 종합편집 회사와는 다르게 일이 들쑥날쑥하게 들어오는 것도 없고, 야근 수당은 여전히 없었지만, 밤샘 작업은 거의 없고, 피디님들과 조연출분들도 다들 재미있으신 분들이라 작업도 즐겁게 했다. 첫 번째 회사에서 겪은 일들 때문인지, 이곳에서는 빠르게 적응했고, 프로그램 사용을 까먹었을까 봐 걱정했던 것과 달리 일을 잘 헤쳐 나갔다.

그러나 어느 순간 내 마음속 한구석에 있던 의문이 다시 피어났다. '이 길이 내가 원하던 길이던가?', '나는 이 일을 하면서 재미있나?'라는 의문이. 거기다 더해서 사실 이 직종은 수명이 짧다 보니 '내가 이 일을 언제까지 할 수 있을까?'라는 생각이 더해지게 되면서 내가 현재 걷고 있는 길에 대한 불안감도 커지게 되었다. 하지만 당장 일을 그만두고 수명이 긴 직장을 구할 수 있는 것도 아니고, 그만두고 아르바이트를 하면서 새로운 기술을 배우자니 당장 기본적으로 나가고 있는 금액들도 커서 무리인 데다, 막상 하던 것을 그만두고 완전히 다른 길을 걷자니 여태 하면서 버텨온 시간도 아깝다는 생각이 들면서 어떻게 해야 하는지 여러 갈림길 앞에서 표지판들을 보며 발을 떼지조차 못하겠다는 내 모습을 보게 되었다. 다른 영상 관련 회사로 이직하기엔 내가 다른 어떤 스펙이나 내세울 게 없어서 하기도 힘들 것 같았다.

특히 코로나 여파로 OTT 서비스로 인해 영상 매체들의 퀄리티도 높아졌고, 비약적으로 발달하면서 영상매체업계에서 원하는 스펙들은 더 높아졌다. 그리고 나도 그에 발맞추어 영상 편집뿐만 아니라 연결해서 확장할 수 있는 3D 프로그램을 배우려고 학원이나 인터넷 수업을 알아보았었다. 하지만 대부분 학원이 평일 저녁이나 주말 종일

반 위주여서 회사 퇴근과 주말이 불분명한 상황에선 큰돈을 내고 덥석 신청하는 것도 애매했다. 그때 생각 난 말은 내가 대학생 때 새언니가 나에게 해준 말이었다. "젊을 땐 시간은 많지만, 돈이 없고, 그 시절이 지나면 돈은 있는데 시간이 없다"라는 말이었는데 이전까지는 그렇게 와닿지도 않고 공감도 가지 않는 그런 말이었는데 갑자기 이 말이 생각도 났었다. 아마 현재 내 모습이 딱 말과 같아서 생각이 났었던 것 같다. 하지만 난 회사에 다니느라 시간도 없고, 모아둔 돈은 대출을 조금이나마 덜 받으려고 다 쓴 상태에, 대출 원금에 이자, 생활비 등 나갈 돈만 많고 돈도 없는 상황에 울어야 할지 웃어야 할지 그저 헛웃음만 나올 뿐이었다.

어떻게 해야 할지 아빠에게 조언을 구하기엔, 아버진 베트남 참전 용사셔서 "요즘 세상이 살기 힘든 건 맞지만 전쟁보다 살기 좋지 않냐."라곤 늘 말씀 하신 데다, 나이가 있어서 자신은 내가 하는 일에 대해 잘 모르고 혼자서도 살아갈 나이니 알아서 살아야 한다고 종종 말하셨다. 또 아빠가 종종 하시던 말이 있는데, "인생은 마라톤과 같다. 계속 뛰다 보면 언젠가 완주할 날이 오지 않겠냐?"다. 하지만 완주를 알리는 골인 지점이 어디인지 정작 '나'는 알지도 못할뿐더러, 달리고는 있는지, 그냥 응원석에서 응원을 하고 있는지, 내가 어디에 서 있는지조차 모르겠는데 말이다. 주위에 물어볼 사람도 딱히 없고, 어디선가 많이 들었던 '인생은 혼자'라는 말처럼 여태 느껴보지 못했던 진짜 '혼자'가 된 기분이었다.

되돌아보면 나는 잠이 정말 많은 편인데, 고등학생이 되고 나서부터 잠이 급격히 많아진 것 같다. 물론 컴퓨터 게임을 새벽까지 하느라 그런 것일 수 있지만, 외에도 시간을 세어보면 평균 시간을 훌쩍 넘지 않았나 싶다. 아마 이때부터 내 꿈이 없고 무기력함에 도피처로 컴퓨터 게임과 잠을 택한 게 아닌가 싶다. 아빠는 늘 많이 잔다고 걱정했지만, 잠만큼 좋은 게 없고, 현재에도 나는 잠이 제일 좋다. 잠을 자는 순간엔 아무것도 생각하지 않아도 되고, 그 무엇도 하지 않아도 되니까 말이다. 회사 생활이 힘들어서도 있지만, 주말엔 거의 잠으로 보낸다. 주말에 움직일 때는 월에 한번 아빠를 보러 부산에 갈 때나, 자주 만나진 않지만, 중학교 친구를 볼 때 외에는 집에 박혀서 잠만 잔다. 누군가 볼 땐 한심하다고 생각하고, 시간이 아깝지 않냐는 질문도 종종 듣는다. 하지만 나가는 것조차 귀찮고 생각만 해도 힘이 든다. 주말만큼은 온전히 내가 나를 돌볼 수 있는 시간이었으면 하고, 나를 돌보는 건 잠이라고 생각한다. 무언가를 해야겠다는 생각은 하지만 이제는 체력도 없고 꿈을 꾸려는 노력도 하기가 귀찮았다.

20대까지의 '나'는 명확하진 않아도 꿈이 있었고, 그 꿈을 위해 무엇을 해야 하는지 찾아는 보았던 것 같은데, 30을 바라보고 있는 나는 그냥 하루하루 살기가 바빴다. 30살을 바라보고 있는 현재, 나는 그 무엇도 이루지 못했다. 그렇기에 대부분 20대는 나처럼 살아가는지 의문도 들었고, 정말로 자신 꿈을 찾아서 이룬 사람들이 몇이나 될지, 과연 진짜 있기는 한지도 의문이 생겼다. 그리고 굳이 꿈을 찾아야 하는지에 대한 의문도 생겼다. 나만 흘러가는 대로 살고 있는 것인지, 아니면 나와 반대로 다들 꿈을 향해 열심히 달려가고 있는지 말이다. 스스로에게 의문은 생겼지만, 누군가에게 물어서 해답을 찾을 수 있는 의문은 아니었다.

그렇게 '다들 사는 게 똑같지 뭐'하며 혼자만의 납득이란 체념을 한채 반복되는 일상을 살아가는데, 어느 순간부터 지하철에서 휴대전화를 보는 사람보다 책을 읽거나, 영어 공부를 하거나, 강의를 듣는 등 시간을 쪼개서 자기 계발을 하는 사람들이 눈에 보이기 시작했다. 거기다 친한 친구 중 한 명은 커피를 좋아해서 주말마다 바리스타 자격증을 따기 위해 학원에 다닌다는 말을 들었다. 다른 친한 친구 한 명은 자기 꿈을 위해 6년 동안 학원에 다니며 공부하고 있었다. 다들 자기만의 꿈이 있고, 그걸 이루기 위해 노력을 하는데 나는 그냥 흘러가는 대로 살고 있다는 생각이 들었고, 아마 그것이 맞는다는 느낌이었다. 다들 어쩜 그렇게 열심히 살아가는지, 스펙은 스펙대로 쌓으면서, 자신의 꿈을 위해 다른 공부까지 더하는 모습을 보며 나 자신이 초라해졌다.

처음에는 나도 친구들이나 다른 사람들처럼 '꿈을 찾고 실천해 볼까?'라는 생각과 실천을 하고자 했다. 비록 '꿈'은 찾지 못했지만, 내가 배우고 싶던 것을 배워보고자 했다. 코로나 이후 오프라인으로만 해서 엄두가 나지 않았던 수업들이 온라인으로도 강좌가 열리면서 수업을 신청할 수 있었던 것도 크다. '나'를 위해서 운동 강의 영상 하나와 이전부터 그림을 그리려 사놓았던 아이패드로 그림 그리는 수업 두 가지를 신청했다. 그림 수업은 끝까지 완강을 하고 종종 시간 날 때 그림을 그리지만, 운동은 중간에 포기했다. 몸이 수업만큼 따라가지도 못하고, 기초체력이 매우 약하다는 것을 깨닫게 된 계기였다. 그래서 주말에 시간이 나면 종종 산책길을 걷고, 집에서 유튜브를 보면서 자세 교정 위주의 운동만 했다. 그림도 그릴수록 실력이 향상되는 것이 보이긴 했지만, 내가 진짜로 하고 싶던 건 아니었고, 종종 아이패드로 드라마를 보면서 시간 보내기용으로만 그림을 그렸다. 어릴 때 만드는 것을 좋아했던 '나'는 커서도 '좋아하지 않을까?' 싶어 무작정 동대문에 가서 뜨개실과 뜨개바늘을 사서는 뜨개질도 해보았다. 외에도 한창 유행하던 마크라메나, 가죽 공예도 인터넷 강의로 배워보기도 했다. 하지만 어렸을 때와는 달리 그리 크게 흥미는 느끼지 못했다. 이것저것 시도해 보다 느낀 건 '내가 나이를 먹어서 어릴 때와 달리 그 어떤 것에도 흥미가 안 생기는 걸까?'였다. 대학생 때까지만 해도 재미있게 하던 게임도 점점 흥미가 식었고, 달콤한 디저트를 좋아해서 초콜릿을 입에 달고 살았는데, 초콜릿도 점점 멀리하게 되었다.

그러면서 생각 해 본 것이, 사람도 다 다른데, 내가 굳이 꿈을 찾고 노력하는 사람들과 똑같이 되어야 할 필요가 있나 싶었다. 열심히 자기 꿈을 향해 나아가는 사람이 있다면, 내가 현재 살아가고 있는 현실에 만족하며 살아가는 사람도 있을 것이다. 나는 현재에 완전히 만족한다곤 할 순 없지만, 그냥 하루하루 살아가는 것엔 만족한다. 자기만족이겠지만, 내 명의는 아니지만 발 뻗고 누울 집도 있고, 먹고 살 정도와 조금의 돈을 비축할 수 있는 월급, 물경력일진 몰라도 5년 정도의 경력이면 당장은 못 먹고 죽을 정도는 아니지 않을까. 물론 더 좋은 직장에 더 많은 월급을 받으면 좋겠다 싶어, 외주도 잠깐 받아봤으나,

힘에 부쳐 3개월가량 하다 그만두기도 했었다.

　생각해 보면 막상 '꿈'이라는 것 자체가 너무 큰 기대감이나 이루기 힘든 것을 이루고자 해서 어릴 땐 이것저것 많았지만, 현실을 자각하면서 내 처지를 알게 되면서 찾지 못하는 게 아닌가 싶은 생각도 든다. '꿈'이라고 하면 내가 이루고 싶은 '무언가'인데, 이상으로 이루고 싶지만, 현실에선 내가 이루지 못할 확률이 높은 것을 알고 있으니 '꿈'을 가지려고 조차 하지 않는 게 아닌가 싶다. 나만 그런지는 모르겠지만, 나를 포함한 대부분 사람들이 말하는 '꿈' 중 하나는 '로또나 연금복권에 당첨되고 싶다.'이지 않을까 싶다. '꿈'이라고 할 수도 있지만, 내가 직업으로서나, 커리어로서나 이루고 싶은 것이 아니고, 이룰 수 있는 확률도 매우 낮은 일이지 않은가. 그렇기에 이를 '꿈'이라고 칭하지만, 내가 진정으로 원하고 하고 싶은 일로서의 '꿈'은 아니다. 그리고 대부분 사람들이 당첨을 희망하지만, 이뤄지기 힘들다는 것도 알고 있을 것이다. 그렇기에 종종 로또 당첨은 희망고문이라는 말도 하지 않나 싶다.

　나는 그래서 '꿈'을 꾸지 않고, '목표'를 세우고 자기만족일 수도 있지만 '만족'을 하기로 했다. 이로 인해 내가 제일 먼저 한 것은 휴대폰에서 SNS를 삭제하는 일이었다. SNS를 삭제 한 이유는 SNS를 볼때마다 다른사람들과 내가 비교하면서 스스로 위축됨을 느꼈기 때문이다. 물론 처음엔 '그냥 그런가 보다.'하고 넘어갔지만, 점점 하는 시간이 늘어나면서 나도 모르는 사람과 내 생활을 점점 비교하기 시작했기 때문이다. 그리고 서기서 오는 여러 가지 차이점으로 스스로를 자책하고 위축되고, 불만이 생기기 시작했다. 그렇기 때문에 나는 나의 만족을 위해 SNS를 삭제하고 일상에서 만족할 일을 퇴근 후에 일기를 적으면서 매일 찾았다. 내가 만족할 일들은 거창한 것이 아니다. 일상에서 볼 수 있는 매우 사소한 것이라도 좋았다. 예를 들면 오늘 점심을 새로운 곳에서 먹어봤는데, 예상외로 가격도 괜찮고 맛도 괜찮았다든지, 야근할 것 같았는데 칼퇴근을 했다든지 같은 매우 사소한 것이었다. 매우 사소한 것이지만, 하루를 마감하면서 적는 일기는 매일과 같은 일상이 아니었고, 이를 찾음으로써 하루를 다시 한번 꼼꼼히 되짚어 볼 수 있어서 좋았다.

'목표'는 세 번으로 나누어서 정하는데, 제일 처음으로는 1년 동안의 목표, 두 번째는 한 달 동안의 목표, 세 번째는 한주의 목표이다. 목표를 세우되 많이 정하지는 않고 1년은 딱 하나, 한 달은 많아야 3개, 한주는 많아야 두 개 정도를 정했다. 하루 목표를 세우지 않은 이유는 하루 목표를 세우면 그 목표를 달성하기 위해 애를 쓰고, 계속 머릿속에 목표만이 맴돌 것 같아서였다. 이 목표들도 거창한 것이 아니라, 일상에서 충분히 할 수 있는 소소한 것들을 세워보았다. 예를 들어서 나가기를 죽도록 싫어하는 내가 친구를 만난다든지, 주에 하루쯤은 운동이나 산책을 1시간 하는 등의 충분히 달성할 수 있는 것들을 위주로 세웠다. 연 목표는 다른 것 없이 내가 모으고자 하는 금액을 정했다. 그것도 많은 돈이 아니라 내가 '최대한'이 아닌, '최소한'으로 '한 달에 이 정도는 적금을 넣을 수 있다!'라고 장담할 수 있는 금액에 조금을 더 보태서 정해보았다. 자기만족이지만 매주, 매월 달성 하는 목표를 보고 성취감도 나름 있었다. 꼭 꿈을 꾸고 꿈을 이루면서 성취감을 느낄 필요는 없지 않을까 싶다. 또한 앞서 말했듯이 사람마다 각자 다른데, 서로 살아가는 방식도 같지 않고 다를 것이다. 또한 서로 살아가는 방식이 다르다고 살아가는 방식이 다른 사람에 대해 무언가를 말할 필요도 없다고 생각한다. 나는 잠이 많은 편인데, 회피형도 있고 피로감을 풀기 위해, 그리고 머리가 잘 돌아가지 않을 때 잠을 자는 편이다. 움직이는 것도 극도로 싫어하고, MBTI에서도 I가 89%일 정도로 내향형 인간이다. 나는 출근을 제외하곤 정말 집 밖으로 잘 안 나간다. 주말엔 쓰레기를 버리러 나가지도 않고, 한 곳에 잘 두었다가 월요일 출근길에 버리고 출근한다. 본가에서 아빠랑 한집에서 같이 생활할 때는, 이런 내 모습을 보곤 아빤 늘 탐탁지 않아 했다. 아빠 입장에선 당연할 것이, 아빠는 직업 군인이었던 데다 퇴직한 지 10여 년을 넘어가는 현재에도 일정을 칼같이 지키신다. 매일 같은 시간에 운동하고, "잠은 죽어서 자는 것으로 충분하다. 평균 시간만 자면 일상생활엔 지장도 없고 충분한 잠이다."라고 말하시는 분이다. 서로가 극과 극이라 한때는 서로 이해하지 못했고, 현재에도 아빠는 나를 이해 못 하시지만 아마 그냥 포기하셨을 거로 생각한다. 서로가 성향이 너무 극과 극이라 서로를 이해하지 못하고 "아빤 왜 저래…….", "내 딸이지만 대체 왜 저러나……"하면서 살아왔다. 하지만 나도 어느정도 나이를 먹었을 때, "아빠, 아빠같은 사람도 있으면 나같은 사람도 있을 수 있지! 내가 잠 자고 좀 게으른것도 이해해줘! 내가 직장을 안다니거나 일상 생활을 못하는 것도 아니잖아!" 했을 때 그제야 아버진 한숨을 쉬며 알겠다고는 하셨지만, 이젠 더이상 싸우기 싫어서 더 말을 안하시지 않나 싶다. 이렇듯 서로가 살아가고 있는 방식이 다를 뿐, 틀린 것은 아니지 않나 싶다.

다들 살아가는 방식이 다르고, 만족하는 기준점이 다르기 때문에 나 자신의 방식과 기준점을 정하는 것이 중요하다고 생각한다. 그리고 그 방식과 기준점을 타인과 비교하지 않고, 스스로 만족하면서 살면 그 나름대로 행복한 삶이지 않을까 싶다. 물론 우물 안 개구리가 될 순 있지만, 사회생활에 지장이 없다면 굳이 내 세상을 더 크게 확장해야 할 필요가 있나 싶기도 하다. 물론 내가 남과 비교하지 않고 스스로 생각했을 때, 나태하다고 생각하면 그때는 변화가 필요 할 수도 있지만, 잠깐 나태해지는 건 괜찮지 않나 싶다. 내가 생각하는 잠깐 나태해지는 것은 충전이라고 생각하기 때문이다. 무엇이든 에너지가 있어야 움직일 수 있고, 에너지가 고갈되면 멈추는 것이니까. 내 주위에 만약 조금 느슨해져 있거나 나태해져 있는 사람이 있다면 "너 왜 그렇게 사냐?"보다는 "그동안 힘들었으니까, 한동안은 그렇게 있어도 돼."라고 말을 건넬 것 같다. 꿈을 이루기 위해 사는 사람이든, 나처럼 하루하루를 살아가는 사람이든 달리다 보면 지치기 마련이고, 지쳤을 때 쉬어가는 사람을 보고 뭐라 하지는 않았으면 좋겠다.

꿈을 꾸고 그것을 이루기 위해 달려가는 게 삶의 원동력일 수 있다. 하지만 삶의 원동력이 '꿈' 하나만은 아닐 것이다. 대신 일상생활에서의 소소한 목표를 세운다. 그 목표를 이룸으로써, 하루하루를 만족한 삶을 산다면 꿈을 이루지 않아도 괜찮은 삶을 살고 있는 게 아닐지 생각된다. 꿈을 찾으려 고민하고 새로운 시작을 하기에 앞서 그에 대해 걱정하고 신경 쓰는 것보다, 하루하루 만족하며 사는 것이 내 정신 건강에 더 좋지 않을까 하는 생각이다. 인생을 마라톤에 종종 비유하곤 하는데 마라톤의 골인 지점의 꿈의 달성이라 한다면, 나는 마라톤을 달리지 않고, 마라톤 경기장 옆 공원을 산책하는 삶을 살고자 한다. 마라톤을 뛰기 시작하면 결국 골인 지점까지 앞만 보고 달려야 하는데, 그러지 않고 공원을 산책하며 주위 풍경도 보고, 지나다니는 사람이나 산책 나온 강아지를 보는 삶도 그만의 매력이 있고 충분히 행복할 수 있지 않을까 한다. 그렇기에 나는 더 이상 꿈을 꾸지 않는다.

쉽지 않았지만,
그 어느 날 좋은 일이 생겼다.

김영란

김영란 1977년 성남에서 태어났다. 만화 헬로카봇의 500개의 자격증을 갖고 있는 탄이엄마 전다해가 롤모델이다. 대기업, 입시강사, 교육사업, 컨텐츠 개발등 다방면의 경력을 자랑스럽게 생각한다. 지금도 나이는 숫자에 불과하다며 이것저것 배움을 즐긴다. 현재는 작은 동사무소에서 소임을 다하고 있다.

brunch: brunch.co.kr/@47917410876746e

지수는 긴 휴식기를 끝내고 복직을 하루 앞두고 있다. 불과 며칠 전 친구들이 전화해 너무 오래 쉬었던 건 아닌지 부러운 반 걱정 반 잔소리를 늘어놓았던 일도 마치 오래된 옛날처럼 시간이 흐려졌다. 지수는 다시 예전과 같은 자리로 돌아가는 것에 대해 약간의 긴장감마저 맴돈다. 동시에 남들이 들으면 나라를 구하는 장수나 생각해 볼 듯한 비장한 각오도 해본다.

1년 전.
지수는 서 있는 자리가 버거워 하루하루를 겨우 살아내고 있었다. 마음이 아파지니 머리도 아파지고 마침내는 몸까지 본인이 제어할 수 없기에 이르렀다. 오후 3시. 영락없이 손이 떨리기 시작했다. 지수의 숨소리가 점점 거칠어져만 갔다. 본인이 선택한 이 자리가 나를 시험하는 것 같았다.

'누가 이기나 해보자.'

혼자 아랫입술을 꽉 깨물어 보지만 귀에선 사람들의 말소리마저 윙 윙거리는 벌 때 소리처럼 들렸다. 지수는 이렇게 단단한 자존심에 본 인이 저버리는 거 같아 오늘도 시, 초를 버텨내는 중이었다

그날따라 유난히 날이 더웠다. 여름은 아니었지만 이미 습기가 가 득한 공기가 사무실의 종이 냄새와 섞여 낡고 오래된 색바랜 책을 열 었을 때의 케케묵은 냄새가 났다. 퇴근 시간이 가까워졌다. 주변을 둘 러보니 다들 무사히 지나간 하루에 감사하는 표정이었다. 옆 동료가 쌓여있는 서류를 정리하며 혼자 중얼거린다.

'내일도 아무일 없기를.'

눈이 마주치자, 서로가 마음을 알고 있다는 듯 미소로 안부를 건넨 다. 카페인이 없으면 하루를 버틸 수 없다고 노래를 부르는 동료는 책 상에 산더미처럼 쌓여있는 테이크아웃 커피잔을 부랴부랴 치운다. 그 녀의 한숨에 쌓여있는 커피잔들이 도미노처럼 쓰러질 듯 아슬아슬하 게 보인다. 하루 종일 다리를 떨고 있는 평소 말이 없기로 유명한 뒷자 리 그도 발 떨기를 멈춤과 동시에 참던 숨을 혹 내쉰다. 다들 말은 하 지 않았지만, 오늘 본인에게 아무 일 없이 지나간 것에 대한 안심의 눈 빛이 행복해 보이기까지 하다. 이 좁디좁은 사각 공간에 어찌나 많은 일들이 생겨나는지 한시도 마음을 놓을 수가 없다.

'지금의 내가 아니면 누군가가 희생양이다.'

지수는 입직 후 누군가 알려주었던 그 말을 이제야 몸소 느끼고 있다. 마지막 1분까지 초조함이 파도처럼 밀려온다. 퇴근 시간에 맞추어 누가 말이라도 시킬까 재빨리 정리한다. 바로 그때 자동문의 벨 소리가 들렸다. 그 날따라 벨 소리는 유난히 맑은 날 치는 천둥 같이 크게 느껴졌다.

'내 앞으로 올까?'

지수는 순간 생각해 보지만, 다행히 그 사람은 지수 옆의 신입직원 앞으로 간다. 6개월의 시보도 떼지 못한 신참의 떨림이 거리가 있는 지수에게까지 느껴진다. 고요한 침묵에 긴장감이 몰려온다. 누구나 그렇듯이 본인이 전혀 준비되지 않은 상황에 닥친 현실을 느껴본 사람은 알 것이다. 간단한 일이지만 갑작스러운 상황에 당황했을 신입직원은 수십 번 수백 번 본 지침과 법령들을 기억하고 있을까? 지수는 걱정부터 앞선다. 잠시 기다리라는 안내와 함께 그녀의 손이 지침 책을 다급하게 넘기고 있다.

**'거기가 아니야...
거기보다 앞부분에서 찾아봬야지.**

도와줘야 하나?'

아니다. 지수는 괜히 본인이 알고 있는데 본인이 나서면 사람들 앞에서 무안을 당할 그녀가 걱정이다. 여러 가지 감정에 벌써 한숨과 답답함에 지수는 꽁꽁 얼어붙는다. 덥디 더운 이날 오히려 지수는 냉기마저 흐른다. 한동안 정적이 흘렀다. 다행히 그녀는 평상심을 찾은 것 같았다. 하지만 이내 그녀의 소처럼 맑은 눈이 살짝 흔들린 듯 보인다. 하지만 지수에게 도움을 요청하지 않는 걸 보니 스스로 해결할 수 있단 자신감이 붙은 듯했다. 지수는 별거 아닌 거에 괜한 걱정을 한 듯싶어 자리를 마무리하고 자리를 나섰다. 그때 갑자기 그녀가 미안함과 당황함이 역력한 눈빛으로 지수의 팔을 붙잡았다.

사수라는 이름으로 그녀와 지수가 인연을 맺은 지도 3개월이 지났다. 지수와 비슷한 나이에 배움과 새로움에 눈이 반짝거리는 그녀는 입직 후 주어지는 업무들과 배움들로 점점 본인의 빛을 잃어가고 있었다. 본인의 업무를 충실히 해내지 못하면 누군가가 대신 고생한다는 것을 그녀는 알고 있었다. 그 무렵 지수도 아직도 부족한 본인이 누군가에게 배움을 줘야 하는 것이 여간 부담스러운 일이 아니었다. 솔직히 새로운 업무를 맡은 지수조차도 이미 지쳐가고 있는 무렵이었다. 그렇게 지수는 비겁하게 약속이 있단 핑계로 그녀의 손을 매몰차게 뿌리쳤다. 그렇게 사무실을 벗어나는 그 순간 문득 기억이 하나 떠올랐다. 왜 하필 그 순간에 지수는 본인 안에 꼭꼭 숨겨두었던 판도라의 상자가 떠올랐을까. 아무 말도 없이 만감이 교차하는 그녀의 눈빛을 보자니 지수는 기억 속 본인의 모습과 오버랩되었다.

버스정류장 옆 분식점 티브이에선 마감뉴스가 한창이었다.

'비취업 기혼여성 절반이 경력 단절 여성인 것으로 나타났습니다. 22일 통계청의 자료에 따르면.'

오늘따라 유난히 공기도 차갑다 못해 아프기까지 했다. 하필 또 이때 전화벨이 울렸다. 얼마 전 동장으로 퇴직한 작은아버지였다. 평소에도 욕심 많은 사람이라 남이 잘되면 배 아파하던 사람이 오늘은 누구보다 따뜻한 목소리로 인사를 건넸다. 뒤늦게 전달받은 지수의 합격 소식에 대한 축하 전화였다. 수화기 너머 들리는 성탄절 노랫소리가 따뜻했다. 정류장 주변의 사람들도 모두 화기애애한 성탄절 분위기 탓인지 얼굴이 더 밝아 보였다. 저 멀리 320번 버스가 눈에 힐끗 들어왔다.

밖의 분위기와는 달리 그날따라 퇴근하고 탄 버스는 고요했다. 아니 이미 뿌옇게 앞이 흐려진 지수의 눈에 사람들이 보이지 않았는지도 모른다. 재빨리 자리에 앉자마자 지수는 하루 종일 참고 있던 눈물이 쏟아져 나왔다. 지수 귀에는 그저 본인의 삼키는 숨소리와 흘러내리는 콧물의 들이키는 소리만 들릴 뿐이었다.

두 달쯤 좀 지나면 적응할 줄 알았던 지수의 생각은 큰 오산이었다. 하루 종일 컴퓨터와 싸우고 걸려 오는 전화와 문의하는 사람들로 지수의 하루는 정신없이 지나갔다. 일이 익숙하지 않은 지수는 매일 남들보다 2시간씩 먼저 출근했다. 그리고 어제 했던 업무를 익숙해질 때까지 복습 또 복습했다. 하지만 역시 조금이라도 당황할라치면 조금 전까지도 보이던 컴퓨터 스크린 속의 버튼은 또 보이지 않았다. 머릿속은 노래진다. 앞 민원인의 눈초리가 지수를 뚫어지게 관통하고 지나간다. 몸이 움츠려진다. 그나마 요약해 둔 노트를 찾아 허둥지둥 찾고 있을 무렵 갑자기 옆에서 한 장의 서류가 날아왔다. 고개를 돌리니 이미 10년 차 B 씨의 눈에서는 레이저가 나올 듯했다. 누가 봐도 화가 난 얼굴이었다.

"서로 도와가며 일하는 법부터 배우세요."

아뿔싸. 지수는 본인의 업무에 매달려 옆도 보지 못한 채 허덕이다 보니 그가 보기엔 옆 창구의 밀려있는 민원인들을 일부러 신경 쓰지 않고 넘겼다고 생각한 모양이었다. 지수는 그 옆에서 한가하게 음악을 듣고 있는 입사 동기 N 에게 괜한 원망이 차오른다. 지수는 그날 이후 B 씨가 본인을 대하는 태도가 달라지기 시작했다고 느꼈다. 조금이라도 말할라치면 말귀를 못 알아듣는 사람이 제일 싫다고, 분위기 파악 못 하는 사람이 제일 싫다는 말을 스스럼없이 지수 앞에서 불쑥불쑥

꺼내기 시작했다. 조금씩 조금씩 자신감을 잃은 지수는 특유의 웃음마저 잃어갔다.

그 무렵 공직이란 기회는 누구나 맛볼 수 있는 기회가 아니었다. 매일 나오는 매스컴에선 공무원 역대 최고 경쟁률을 앞을 다투어 보도했다. 주변에선 10년 동안 공부해도 되지 않는 그저 막연한 파라다이스였다. 어려운 경제 속에 지수는 본인이 다른 이들의 보란 듯한 성공녀가 된 듯한 기분에 단단히 취해있었더랬다.

공직에 들어와 처음으로 들어간 곳은 동 주민센터였다. 민간기업에서 나름 팀장, 과장까지 맡으며 일해왔던 지수지만 공직사회는 지수에게 너무나 두려우면서도 낯선 곳이었다. 하지만 지수는 특유의 낙천적 성격과 적응력으로 한 달이면 어느 정도 적응할 수 있을 거란 막연한 자신감도 있었다. 그렇다고 해서 지수가 일에 대해 타고난 능력자란 이야기는 아니다. 새로운 업무를 맡을라치면 익숙해지기 위해 그녀는 매번 수백 번의 시간 투자와 시행착오가 필요한 허점투성이였다. 그런 지수가 첫 공직에서 민간기업에서의 업무와 시스템의 과정이 전혀 다른 것을 한 달 만에 해결해 나가려 생각했다니. 무지하면 용감하다 했던가.

출근 첫날부터 지수는 남들보다 더 일찍 출근해서 업무와 시스템의 과정에 조금 더 이숙해지기 위해 시간을 투자했다. 하지만 노력하더라도 새로운 시스템과 지침, 법령 숙지와 도움을 요청하는 민원인들을 상대하기에는 너무나도 벅찼다. 하지만 고참들의 눈빛을 보고 있노라면 질문조차 할 엄두도 생기질 않았다. 민간기업에 익숙해 있던 지수는 그들에게는 어쩌면 같은 팀의 사람이 아닌 듯 느껴진 듯했다. 옷차림, 말투, 심지어 웃음조차 조직 특성상 딱딱하게 굳어있는 곳에서 그녀는 어느 것 하나 어울리지 못했을 수도 있었다. 힘든 것은 없는지, 도와줄 일은 없는지 물어보면 조금은 더 살갑게 대해 줄 수도 있었을 텐데. 주변의 그런 식의 냉정하고 답답한 눈빛들을 보자니 지수의 마음 한구석은 더욱더 메말라 갔다. 더군다나 첫 입직에 나름대로 나이가 있다 보니 동료들뿐 아니라 동기들마저 너는 얼마나 잘하나 두고 보자는 식의 눈빛으로 느껴지기까지 했다.

그렇게 지수는 주변을 살펴볼 여유도 없이 자신감을 잃어갔다. 자신감을 잃어가니 지수만의 특유의 배려심마저 잃어가고 사람들 틈에서 점점 주눅이 들어갔다. 사람들을 대할 때 애매한 태도와 말투 지수 본인도 모르게 그들에게 주었던 상처, 그들도 모르게 지수에게 주었던 상처. 그 당시 지수의 어리숙함과 뭣도 모르는 무지에서 온 애매한 지수의 태도가 지수 본인을 더욱 힘들게 만들었다.

그렇게 시보라는 시간을 견뎌 지수는 어느덧 주무관이 되었다. 지수가 견디며 애쓴 시간을 본인에게 보답이라도 하듯, 지수는 철저하게 본인에게 더 고립됐다. 누군가가 본인에게 다가오면 지수는 그들에게 어떠한 틈도 보여주지 않았다. 만만하게 보이면 또 그때처럼 사람들이 본인에게 상처만 줄 것만 같았다. 미리부터 겁에 질려 있었다. 그렇게 지수는 마음의 병이 들었고 시름시름 앓기 시작했다. 누구에게도 보여주고 싶지 않은 지수 그녀만의 판도라의 상자. 퇴근 후 그녀의 그런 과거의 경험들과 그로 인한 상처들이 더욱 그녀를 괴롭혔다. 그런 상황 속에서 지수는 퇴근 한 후에도 본인을 붙잡았던 신참의 눈빛이 계속 잊히질 않았다.

'마음 편하게 허탈한 웃음으로 왜 흔쾌히 도움이 필요한지를 내가 먼저 묻지를 못했던 것일까?'

지수는 도와줘야 하는 사람들이 있음에도 원래의 그녀처럼 적극적으로 도와주지 못하는 본인을 탓하기 시작했다. 조금 더 관대했더라면. 조금 더 성숙했더라면. 조금 더 지혜가 있었더라면. 그렇게 화살은 자꾸 그녀를 찔러대고 있었다. 그렇게 그녀는 무거운 공직이란 짐에 결국 무릎을 꿇고 말았다.

'그래. 결혼은 했어요?'

여성스러운 외모에 까무잡잡한 피부 빛을 띠신 중년의 여성이 부리나케 동장실로 들어왔다.

'아기는?'

'몇 살이에요?'

숨돌릴 새도 없이 폭풍 같은 질문을 쏟아붓는 낯선 여자가 눈에 들어왔다. 복직하기 전부터 혹시 지수가 육아휴직을 쓸지 걱정스러운 눈빛이다. 이번에도 느낌이 좋지 않다. 부드러움 속에 강인함이 느껴지는 팀장과의 첫 만남이었다.

잘 견딜 수 있을까? 지수는 이미 첫 출근 전부터 이미 몇 개의 돌덩이를 어깨에 맨 것처럼 무거웠다. 1년간의 휴직 후 찾아온 새로운 발령지. 그곳에서 지수는 3개월만 해보고 아니면 과감하게 면직까지 생각했다. 그나마 집에서 가장 가까운 곳이라 몸이 아픈 본인을 배려해준 인사과에 감사했다. 복직해서도 하루하루 눈코 뜰 새 없이 바쁜 이 작은 사무실에서 어떻게 살아남을지를 나름의 방법으로 찾고 있었다. 사람들이 어떠한지, 팀장이 어떠한지 궁금하지도 않았다. 이곳의 사람들은 모두 다 이기적이고, 예전 자신이 만난 사람들처럼 자신의 안위에만 관심 있는 사람들일거라 생각했다. 지수는 어떻게 이곳에서 매일 찾아오는 수십 명의 민원인과 수백 개의 민원서류를 처리할지 만으로도 머릿속은 복잡해지기 시작했다. 이제는 본인에 대해 잘할 수 있을 거란 기대도 하지 않았다. 본인이 밖에서 어설프게 동경하고 환상했던 공무원이란 세계는 무너진 지 오래였다.

복직 후 지수의 업무는 지금까지와는 다르게 외근이 많은 업무였다. 누구나가 그렇겠지만 매일매일 몸이 불편하고 도움을 필요로 하는 분들에게 직접 찾아가 개선될 수 있는 방법을 찾아내는 일이란 여간 고단한 것이 아니다. 아마도 세상의 고난이란 고난은 다 온몸으로 겪었을 그들에게 우리들의 도움이 달가운 것만은 아니었으리라. 또한 공직사회에는 여러 가지 지침들과 법령들로 한계가 있어 여러 민관단체의 협업도 중요하다. 일이 이러하다 보니 일 년간 일을 쉬고 온 지수에게 낯선 단체들과의 만남도 어색하기 짝이 없었다. 동시에 2년이란 시간 동안 똘똘 뭉쳐 일하고 있는 팀원들과도 호흡하며 일할 수 있을지도 지수는 걱정이 앞섰다.

이런 걱정을 폭풍 같은 질문을 하던 그녀는 알고 있었던 것일까? 그런 걱정을 알고 있다는 듯이 파트너를 제안한 건 팀장이었다. 지수는 그녀가 먼저 다가와 손 내밀며 도움을 줄 거라 전혀 기대하지 않았다. 하지만 흔쾌히 너무나도 기꺼이 함께 하자 미소를 지으며 다가오는 그녀의 모습이 처음에 지수는 이상하기까지 했다. 믿지 못해 본인과 함께 일하는 것은 아닐지, 혹시 신입이나 마찬가지인 지수의 실수에 팀원들에게 해가 가진 않을지 매의 눈으로 지켜볼 것이라 예상했다.

처음부터 지수는 역시 실수투성이였다. 익숙지 않은 지리에 다른 장소를 찾아가기 일쑤였지만, 팀장은 그런 지수의 덤벙대는 실수에 한바탕 웃음으로 어색함을 잊게 해주었나. 처음 가는 단체나 가정을 방

문할 때면 어찌할 줄 모르는 지수를 끌어당기며 등을 쓰다듬었다.

하지만 지수 자신의 그런 모자람에 하루하루 지칠 무렵, 팀장은 그녀에게 잔 다르크만 같던 자신의 옛날 일을 말씀해 주셨다. 어색하지도 않게, 부담스럽지도 않게, 엄마처럼, 언니처럼 담담하게 이야기하는 모습이 그동안 지수를 짓눌러온 것들이 본인만의 고민만은 아니었단 생각이 들었다. 30년이라는 시간 동안 그녀는 얼마나 많은 사람들과 사건들을 겪었을까? 늦은 나이에 공무원에 들어와 혼자만의 고립으로 사람들과 벽을 쌓아가고 있는 황폐한 그녀에게 팀장이란 사람은 마르지 않는 샘물 같았다. 지수는 매일 본인이 왜 이 일을 하고 있는지 되묻고 또 되물을 무렵 그녀를 만난 건 정말 하늘이 정한 일이 아니었는지 생각까지 할 정도였다. 일이 지칠 무렵이면 그녀는 지수가 왜 이일을 하고 있는지 왜 이 일이 누군가에게는 정말 필요한 일인지, 지수가 팀원들에게 얼마나 도움이 되는 사람인지를 되뇌주었다. 그녀는 얼마 되지 않은 지금까지 공직 생활 동안 지수를 알아봐 준 그녀만의 최초의 리더였다.

따뜻한 봄날 오후 늘 파트너였던 팀장과 지수는 그렇게 민관단체를 만나는 자리가 있었다. 늘 그렇듯이 경험이 많지 않은 그녀는 거의 잊힌 존재로 한 자리 차지하고 있었다. 어색함이 교차할 무렵 팀장은 지수의 팔을 붙잡았다. 그리고 그 단체 앞에 지수를 정성스레 소개했다. 동시에 지수 그녀가 그들에게 얼마나 도움이 될지를 설명해 주는 것도 망설이지 않았다. 지수는 누군가에게 도움이 될 수 있고 본인의 이름이 그들에게 소개되고 있다는 사실만으로도 세포가 살아있음을 느꼈다. 좌절하고 상처받고 때론 지수 본인도 모르게 상처 주는 쉽지 않은 직장생활에서 누군가 본인을 알아봐 주고 지지해 주는 경이로운 경험을 한 것이다. 사람이 살아가면서 본인이 롤 모델로 삼을 수 있는 리더를 만난다는 것이 얼마나 큰일이던가?

또 어느 날은 팀원의 막내가 큰 실수를 저질러 우왕좌왕하고 있었다. 하지만 팀장은 조용히 법령들을 살피며 막내의 실수를 타파할 방법을 애쓰고 있었다. 지수는 우연한 기회에 그것을 보았으나 그녀가 도울 방법은 없었다. 그리고 팀장은 누구보다 속상해할 막내에게는 그어떤 표현도 내색도 하지 않았다. 그 후 시간이 지나 알게 된 사실이지만, 그녀는 막내의 잘못을 홀로 조용히 해결해 주었다. 그 사건은 그렇게 무난하게 끝났다. 이렇듯 팀장이라는 직책을 가진 그녀는 지극히 평범한 인간적임과 누구보다 특별한 강인함을 동시에 지니고 있었다.

그녀는 팀원의 상황을 먼저 살핀다. 그리고 조용히 불러 해야 할 얘기는 조곤조곤 다정하게 얘기해준다. 그리도 수정해야 할 부분은 하나하나 조용히 지적한다. 진심 어린 관심과 인내, 지수가 본 그녀의 모습은 그러했다. 그녀는 팀원들에게 지시할 때나 실수를 지적해야 할 때적당한 때를 기다리는 것, 화내면서 말하지 않는 것, 그래도 해줘야 할얘기를 다 하는 모습에서는 진심으로 인간의 한계까지 넘어선 그 어떤 것을 가지고 있었다.

과거의 지수는 어땠을까? 휴직 전 온갖 마음 앓이로 고생하고 있었던 본인의 모습을 흔들리던 눈빛으로 붙잡던 신참은 지금 어떻게 생각하고 있을까? 아마 사수를 지수로 경험했던 그 신참에게는 자신의 안위만 좇아가는 옹졸한 사람으로 기억되고 있을지도 모른다. 물론 지금 지수의 모습도 예전과 별반 다름없이 사춘기 소녀처럼 성장통을 앓고 있는중이다. 하나의 업무를 수행하기 위해 오늘도 수백 번 수만 번을 생각해 본다. 지금의 자리에 오기까지 지수는 얼마나 많은 생각들을 했던가? 수많은 착오와 오해 속에서 이제야 지수는 조금의 자유스러움을 느꼈다. 혹시 지금의 지수가 있는 이 자리가 편협했던 본인의 모습에서 본래의 자신을 찾게 해주는 인생의 새로운 출발점은 아니었을까?

내면의 울림, 자신에게 해주는 낮은 속삭임, 주변의 좋은 선후배, 팀원들. 그들을 통해서 오늘도 지수는 자신을 찾아가는 중이다. 지수에게는 공직이라는 단어가 직업이라는 단순한 의미보다는 아직은 미성숙한 본인을 찾아가게 하는 또 다른 이름, 그 이상이다. 공직 안에서 혹은 공직 밖에서 한없이 멀고 먼 존재로만 성장했던 지수. 이제는 그들의 생각을 읽고 호흡을 맞추며 조금씩은 함께 발맞추어 나갈 수 있는 성장하는 자신이 되기를 오늘도 기대해 본다. 인생은 성장 중.

지수는 아직도 성장 중이다.

그럼에도 불구하고, 오늘도!

발행 2024년 3월 5일
지은이 진, 박시영, 김영란
라이팅리더 현해원
디자인 윤소정
펴낸이 정원우
펴낸곳 글ego
출판등록 2019.06.21 (제2019-000227호)
주소 서울시 강남구 강남대로 118길 24 3층
이메일 writing4ego@gmail.com
홈페이지 http://egowriting.com
인스타그램 @egowriting

ISBN 979-11-6666-458-8